Junkyard
FORT
FUERTE
de chatarra

LITTLE SIMON
New York London Toronto Sydney

"Let's build a fort!" says Jack.

—¡Construyamos una fortaleza!— dice Jack.

Tow Truck Ted finds an axle and flashes his light. "I know just where to put this," says Ted.

Tow Truck Ted se encuentra un eje y relampaguea su faro. —Yo sé exactamente dónde poner esto—, dice Ted.

"A fort can't be safe without sturdy walls," whines Melvin. He mixes up a pile of bricks and concrete blocks.

—Una fortaleza no puede ser segura sin muros fuertes—, se queja Melvin. Hace una mezcla para una pila de ladrillos y bloques de concreto.

"We can't have walls without doors," revs Pete. He knocks over Melvin's pile and scoops up the doors. "And here's the sign for our exit."

—No podemos tener muros sin puertas—, acelera Pete. Tumba la pila de Melvin y saca las puertas. —Y aquí está el letrero para nuestra salida.

"Clear the way! Here I come!" says Monster Truck Max. He races past flags and over some gas cans.

—¡Despejen! ¡Ahí voy!— dice Monster Truck Max. Se dispara al otro lado de las banderas y por encima de unas vasijas de gasolina.

Honk! "Here's a horn so we know when someone's at the door!" honks Gabriella.

—*¡Pit Pit!*—Aquí hay una bocina para saber cuando hay alguien en la puerta—, bocina Gabriella.

Izzy the Ice Cream Truck finds a giant ice-cream scooper as she rolls through a junk pile. "Do you want an ice cream?" sings Izzy.

Izzy the Ice Cream Truck encuentra un cucharón gigante para servir helados cuando rueda por una pila de chatarra. —¿Quieres un helado?— canta Izzy.

Splash! Pumper Pat hoses off a ring of keys.

—*¡Plaf!* Pumper Pat lava las llaves de un llavero.

Lucy finds a ladder just like hers. "Every fort needs a ladder. That's the rule!"

Lucy encuentra una escalera como la de ella. —Toda fortaleza necesita una escalera. ¡Ésa es la norma!

Crash! Dump Truck Dan dumps a pile of mud flaps and nails. Dan rumbles off for more. "Let's dump some more junk!"

—*¡Cataplán!* Dump Truck Dan descarga una pila de guardabarros y clavos. —¡Descarguemos más chatarra!

Payloader Pete digs up an oil can and a pile of pipes. "I'll be the fort lookout."

Payloader Pete escarba una lata de aceite y una pila de cañerías.
—Yo voy a ser el vigía de la fortaleza!

Gabriella finds a grill shaped like a crown.
"I think I should be queen of the fort!"

Gabriela encuentra una parrilla en forma
de corona. —¡Me parece que yo debo ser la
reina de la fortaleza!

Wham! Rosie finds the top of a rocket.
"Oh, that's big!" she says.

—*¡Pum!* Rosie encuentra el cabezal de un
cohete. —¡Ay, qué grande!— dice.

And Melvin finds the perfect sign.
Y Melvin encuentra el letrero perfecto.

Grader Kat finds a tower of tires. "This tower is tire-riffic!" says Kat.

Grader Kat encuentra una torre de neumáticos. —¡Esta torre es tremenda!— dice Kat.

Ted tows in a colorful umbrella.

Ted remolca un paraguas colorido.

"Here's a vase to put some flowers in,"
says Lucy.

—Aquí hay un florero para poner unas flores—,
dice Lucy.

"And some windows to see through," says Jack.

—Y unas ventanas para poder mirar—, dice Jack.

"I want to play too!" says Rita. "I'll play music for the fort on my bumper xylophone."

—¡Yo también quiero jugar!— dice Rita.
—Tocaré música para la fortaleza en mi xilófono de parachoques.

Melvin finds some toys for the fort. "Now why would someone throw away a perfectly good yak and a zebra?"

Melvin encuentra unos juguetes para la fortaleza. —Bueno, ¿por qué alguien echa a la basura un yak y una cebra en perfecto estado?

The fort is complete!
Then Jack has a *new* idea.
"Let's smash and crash it
and build it again!"

¡La fortaleza está construida!
Entonces a Jack se le ocurre una nueva
idea. —¡Vamos a destruirla y construirla
otra vez!

 LITTLE SIMON

An imprint of Simon & Schuster Children's Publishing Division

1230 Avenue of the Americas, New York, New York 10020

Copyright © 2009 by JRS Worldwide, LLC. TRUCKTOWN and JON

SCIESZKA'S TRUCKTOWN and design are trademarks of JRS Worldwide,

LLC.

Manufactured in the United States of America
ISBN: 978-1-4169-9420-6

Jack Truck's Color Wash
Los colores de Jack Truck

Directions

Help Jack Truck get his colors back!
Color the image using this key:

    1 = Blue

    2 = Red

Instrucciones

¡Ayuda a Jack Truck a
recuperar su colores!

Colorea la imagen siguiendo
esta clave:

1 = Azul

2 = Rojo

Twisty Turny
Ice Cream Truck Izzy
El zigzag de
Ice Cream Truck Izzy

Help Izzy through the maze to her pal Jack Truck!
¡Ayuda a Izzy a cruzar el laberinto y encontrarse con su amigo Jack Truck!

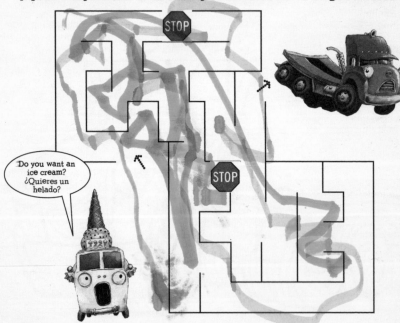

Help! Help! Tow Truck Ted! ¡Ayuda a Tow Truck Ted!

Directions

Help Tow Truck Ted find what the other trucks are looking for! Draw a line from the truck to the cargo he or she carries.

Instrucciones

Ayuda a Tow Truck Ted a encontrar lo que los otros camiones buscan! Traza una línea desde cada vehículo hasta la carga que él o ella lleva.

1.
2.
3.
4.
5.

ANSWERS
Ice Cream Truck Izzy–5, Cone
Gabriella–1, Garbage
Jack Truck–3, Barrels
Cement Mixer Melvin–2, Cement
Dump Truck Dan–4, Dirt

RESPUESTAS
Ice Cream Truck Izzy–5,
Barquillos de helado
Jack truck–3, Barriles
Gabriella–1, Basura
Cement Mixer Melvin–2, Ceme
Dump Truck Dan–4, Tierra

OBJECTS ON THE ROAD!
¡COSAS EN LA CARRETERA!

One truck, two trucks, three trucks, four ...

Look at the objects below and try to find ten of each as you travel in the car.
Each time you see one, place an "X" in the box given. The first person to find ten of each wins!

Un camión, dos camiones, tres camiones, cuatro ...

Mira las cosas que aparecen debajo y trata de encontrar diez de ellas cuando viajes en el carro.
Cada vez que veas una de ellas, marca con una "X" en la casilla correspondiente. ¡La primera
persona que encuentre diez de cada una gana!

Truck
Camión

☐ ☐ ☐ ☐ ☐ ☐ ☐ ☐ ☐ ☐

WELCOME To TRUCKTOWN

Highway Sign
Señal en la carretera

☐ ☐ ☐ ☐ ☐ ☐ ☐ ☐ ☐ ☐

ROAD WORK AHEAD

Road Work
Obras en construcción

☐ ☐ ☐ ☐ ☐ ☐ ☐ ☐ ☐ ☐

Gas Pump
Gasolinera

☐ ☐ ☐ ☐ ☐ ☐ ☐ ☐ ☐ ☐

SPEED LIMIT 65

Speed Limit Sign
Señal de límite de velocidad

☐ ☐ ☐ ☐ ☐ ☐ ☐ ☐ ☐ ☐

Rest Stop
Parada para descansar

☐ ☐ ☐ ☐ ☐ ☐ ☐ ☐ ☐ ☐

TO THE RESCUE!
¡AL RESCATE!

Who's that next to Hook and Ladder Lucy? Connect the dots to find out!
¿Quién está al lado de Hook and Ladder Lucy? ¡Conecta los puntos y lo sabrás!

Answer/Respuesta

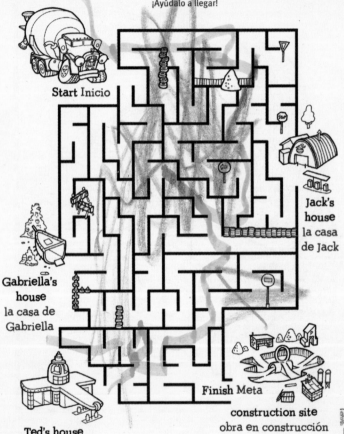

MELVIN'S MIXER MAZE
EL LABERINTO DE MELVIN, EL MEZCLADOR DE CEMENTO

Melvin's worried about finding his way to the construction site. Help him get there!
Melvin está preocupado pues necesita encontrar el camino hacia la obra en construcción.
¡Ayúdalo a llegar!

Start Inicio

Jack's house
la casa de Jack

Gabriella's house
la casa de Gabriella

Finish Meta

construction site
obra en construcción

Ted's house
la casa de Ted

Answer/Respuesta